Hermosas palabras y Pensamientos

Pablo Sanz

Edición
especial

D.R. © Editores Mexicanos Unidos, S.A.
Luis González Obregón 5-B. Col. Centro
Delegación Cuauhtémoc
C.P. 06020. Tels. 55-21-88-70 al 74
Fax: 55-12-85-16
editmusa@mail.internet.com.mx
www.editmusa.com.mx

Miembro de la Cámara Nacional
de la Industria Editorial. Reg. No. 115.

1ª edición, noviembre del 2003
ISBN 968-15-1615-X

Impreso en México
Printed in Mexico

Hermosas Palabras y Pensamientos

Pablo Sanz

editores mexicanos unidos, s.a.

No desistas

Cuando vayan mal las cosas,
como a veces suelen ir,
cuando ofrezca tu camino,
sólo cuestas por subir,
cuando tengas poco haber,
pero mucho que pagar y
precises sonreír,
aun teniendo que llorar...

Tras las sombras de la duda,
ya plateadas, ya sombrías,
pueda bien surgir el triunfo,
no el fracaso que temías;
y no es dable a tu ignorancia,

5

figurarte cuán cercano
pueda estar el bien que anhelas y
que juzgas tan lejano...

Cuando ya el dolor te agobie y
no puedas ya sufrir,
descansar acaso debes
¡pero nunca desistir!

Rudyard Kipling

*P*etición

No me dejes pedir protección ante los
peligros,
sino valor para afrontarlos.
No me dejes suplicar que se calme mi dolor,
sino que tenga ánimo para dominarlo.
No me dejes buscar aliados en el campo de
batalla de la vida,
como no sea mi propia fuerza.
No me dejes anhelar la salvación
lleno de miedo e inquietud,
sino desear la paciencia necesaria
para conquistar mi libertad.
Concédeme no ser un cobarde,
experimentar tu misericordia

sólo en mi éxito;
pero déjame sentir que tu mano
me sostiene en mi fracaso.

Rabindranath Tagore

El niño refleja lo que vive

Si el niño vive en un ambiente de críticas
aprende a condenar.

Si el niño vive en un ambiente de hostilidad
aprende a ser agresivo.

Si el niño vive en ridículo
aprende a ser tímido.

Si el niño vive avergonzado
aprende a sentirse culpable.

Si el niño vive en un ambiente de tolerancia
aprende a ser paciente.

Si el niño vive en un ambiente de aliento
aprende a confiar.

Si el niño vive en un ambiente de alabanzas
aprende a apreciar a otros.

Si el niño vive en un ambiente de equidad
aprende a ser justo.

Si el niño vive en un ambiente de seguridad
aprende a tener fe.

Si el niño vive en un ambiente de aprobación
aprende a amarse a sí mismo.

Si el niño vive en un ambiente de aceptación
       y de amistad
aprende a encontrar amor en el mundo.

Dorothy Law Nolte

Oración de un padre

Dame Señor un hijo que sea lo bastante
fuerte para saber cuando es débil,
y lo bastante valeroso para enfrentarse a sí
mismo cuando sienta miedo.

Un hijo que sea orgulloso e inflexible en la
derrota,
humilde y magnánimo en la victoria.

Dame un hijo que nunca doble la espalda
cuando deba erguir el pecho,
un hijo que sepa conocerte a Ti...
y conocerse a sí mismo,

que es la piedra fundamental de todo
conocimiento.

Condúcelo, no por el camino cómodo y fácil,
sino por el camino áspero,
aguijoneado por las dificultades y los retos, y
ahí,
déjalo aprender a sostenerse firme en la
tempestad,
y a sentir compasión por los que fallan.

Dame un hijo, cuyo corazón sea claro,
cuyos ideales sean altos,
un hijo que se domine a sí mismo,
antes que pretenda dominar a los demás;
un hijo que aprenda a reír, pero también a
llorar;
un hijo que avance hacia el futuro
pero que nunca se olvide del pasado.

Y después de que le hayas dado todo eso,
agrégale, te lo suplico,
suficiente sentido del humor;

de modo que pueda ser siempre serio,
pero que no se tome a sí mismo demasiado en
serio.

Dale humildad,
para que pueda recordar siempre
la sencillez de la verdadera grandeza,
la imparcialidad de la verdadera sabiduría,
y la mansedumbre de la verdadera fuerza.

Entonces, yo, su padre, me atreveré a
murmurar:

"NO HE VIVIDO EN VANO"

Douglas MacArthur

Si...

Si logras conservar intacta tu firmeza
cuando todos vacilan y tachan tu entereza;
si a pesar de esas dudas mantienes tus creencias
sin que te debiliten extrañas sugerencias;
si puedes esperar, e inmune a la fatiga
y fiel a la verdad, reacio a la mentira,
el odio de los otros te deja indiferente,
sin creerte por ello muy sabio o muy valiente...

Si sueñas, sin por ello rendirte ante el ensueño,
si piensas, más de tu pensamiento sigues dueño;
si triunfos o desastres no menguan tus ardores
y por igual los tratas como dos impostores;
si soportas oír la verdad deformada
y cual trampa de necios por malvados usada,

o mirar hecho trizas de tu vida el ideal,
y con gastados útiles recomenzar igual...

Si toda la victoria conquistada
te atreves a arriesgar en una audaz jugada,
y aun perdiendo, sin quejas ni tristeza,
con nuevos bríos, reiniciar puedes tu empresa;
si entregado a la lucha con nervio y corazón,
aun desfallecido persistes en la acción
y extraes energías, cansado y vacilante,
de heroica voluntad que te ordena: ¡Adelante!...

Si hasta el pueblo te acercas sin perder tu virtud
y con reyes alternas sin cambiar de actitud;
si no logran turbarte ni amigo ni enemigo,
pero en justa medida pueden contar contigo;
si alcanzas a llenar el minuto sereno
con sesenta segundos de un esfuerzo supremo,
lo que existe en el mundo en tus manos tendrás.
¡Y además hijo mío, un hombre tú serás!

Rudyard Kipling

Vuelve a empezar

Aunque sientas el cansancio,
Aunque el triunfo te abandone,
Aunque el error te lastime,
Aunque un negocio se quiebre,
Aunque una traición te hiera,
Aunque el dolor queme tus ojos,
Aunque una ilusión se apague,
Aunque ignoren tus esfuerzos,
 Aunque la ingratitud sea la paga,
Aunque la incomprensión corte tus risas,
Aunque todo parezca nada...

¡Vuelve a empezar!

Anónimo

No has perdido

¿Crees que en el pasado has perdido mucho tiempo, que has dejado de estudiar desde hace varios años, que has desaprovechado valiosas oportunidades y que has cometido errores garrafales? Pues bien, no eres ningún extraterrestre; a todos nos ha sucedido lo mismo, y hemos aprendido de ello. El pasado es valioso sólo como fuente de experiencias; pero no dejes que te ate con su grillete de lamentaciones, ni te escondas en él para huir de tu presente. El ayer es el ayer y nada lo va a modificar. Pero tu presente y futuro te pertenecen, porque la vida co-

mienza cuando uno define lo que realmente quiere de ella

Es cierto que el tiempo es eterno; pero para ti apenas está comenzando, porque:

"Hoy es el primer día del resto de tu vida"

Sé optimista

- Sé tan fuerte que nada pueda turbar la paz de tu mente.

- Habla a todos de salud, felicidad y prosperidad.

- Haz que los demás sientan siempre que hay algo bueno en ellos.

- Mira siempre el lado luminoso de las cosas y haz que tu optimismo se realice.

- Piensa sólo en lo mejor y espera sólo lo mejor.

- Sé tan entusiasta del éxito de tu amigo como si se tratara de tu propio éxito.

- Olvida los errores del pasado y lucha por las grandes consecuencias del futuro.

- Sonríe siempre y que tu sonrisa sea para todos.

- Dedica tanto tiempo a tu adelanto personal que no te quede un momento por encontrar defecto en los demás.

- Sé suficientemente tolerante, firme y generoso para combatir la pesadumbre, la pasión y el miedo, y suficientemente feliz para no permitir la presencia de la inquietud.

S *ólo por hoy*

*S*ólo por hoy seré feliz. La felicidad es algo interior, no es asunto de fuera.

Sólo por hoy trataré de ajustarme a lo que es, y no trataré de ajustar todas las cosas a mis propios deseos.

Aceptaré mi familia, mi trabajo y la casualidad como son, y procuraré armonizar con todo ello.

Sólo por hoy cuidaré de mi organismo. Lo ejercitaré, lo atenderé, lo alimentaré, no abusaré de él ni lo abandonaré, procurando que sea una máquina perfecta para mis cosas.

Sólo por hoy, trataré de vigorizar mi espíritu, aprenderé algo útil, no seré un haragán mental,

leeré algo que requiera esfuerzo, meditación y concentración.

Sólo por hoy ejercitaré mi alma de tres modos: haré a alguien algún bien sin que él lo descubra, y haré dos cosas que no me agrade hacer, sólo por ejercitarme.

Sólo por hoy seré agradable, tendré el mejor aspecto posible, me vestiré con la mayor corrección a mi alcance, hablaré en voz baja, me mostraré cortés, seré generoso en la alabanza, no criticaré a nadie, no encontraré defectos en nada y no intentaré dirigir ni enmendar los planes del prójimo

*D*ar

*T*odo hombre que te busca
va a pedirte algo.

El rico aburrido, la amenidad de tu
conversación;
el pobre, tu dinero;
el triste, un consejo;
el débil, un estímulo;
el que lucha, una ayuda moral.

Todo hombre que te busca,
de seguro va a pedirte algo.

¡Y tú osas impacientarte!
Y tú osas pensar: ¡qué fastidio!

¡Infeliz! La ley escondida que reparte

misteriosamente las excelencias,
se ha dignado otorgarte el privilegio
de los privilegios,
el bien de los bienes,
la prerrogativa de las prerrogativas:
¡DAR! ¡Tú puedes dar!

¡En cuantas horas tiene el día,
tú das, aunque sea una sonrisa,
aunque sea un apretón de manos,
aunque sea una palabra de aliento!

¡En cuantas horas tiene el día
te pareces a Él, que no es sino dación
perpetua,
difusión perpetua y regalo perpetuo!
Debieras caer de rodillas ante el Padre y
decirle:
"¡Gracias porque puedo dar, Padre mío!
¡Nunca más pasará por mi semblante la
sombra
de una impaciencia!"

¡En verdad os digo que vale más
dar que recibir!

Amado Nervo
. . . .

Se necesita valor...

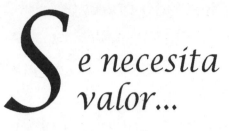

*P*ara huir de los chismes, cuando los demás se deleitan en ellos.

Para defender a una persona ausente a quien se critica abusivamente.

Para ser verdaderamente hombre o mujer aferrándose a nuestros ideales cuando esto nos hace parecer extraños o singulares.

Para guardar silencio en ocasiones que una palabra nos limpiaría del mal que se dice de nosotros, pero perjudicaría a otra persona.

Para vestirnos según nuestros ingresos y negarnos lo que no podemos comprar.

Para vivir según nuestras convicciones.

Para ser lo que somos y no pretender ser lo que no somos.

Para decir rotunda y firmemente no, cuando los que nos rodean dicen sí.

Para vivir honradamente dentro de nuestros recursos y no deshonradamente a expensas de otros.

Para ver en las ruinas de un desastre que nos mortifica y humilla los elementos de un éxito futuro.

Para negarnos a hacer una cosa que es mala, aunque otros la hagan.

Para pasar las veladas en casa tratando de aprender.

L os 10 errores de la vida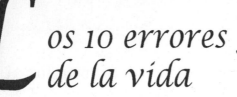

1. Esperar que nuestro punto de vista, bueno o malo, sea aceptado por todos.

2. Querer que los jóvenes tengan juicio y experiencia.

3. No ceder en casos sin importancia.

4. Juzgar que todas nuestras acciones son perfectas.

5. Apurarnos por lo que no tiene remedio.

6. No tener tolerancia para las debilidades de los demás

7. No remediar todo aquello que podemos remediar

8. Considerar imposible todo aquello que nosotros no podemos realizar.

9. Darle al día, al momento, al instante que vivimos, la importancia de una eternidad.

10. Apreciar a las personas por su apariencia exterior, cuando lo que realmente vale son sus cualidades interiores.

Si cada día nos proponemos ir eliminando uno de estos errores, llegaremos a ya no cometer ninguno.

Personalidad

Sé cortés y atento con todo el mundo.

Una sonrisa agradable logra maravillas.

Recibe a las visitas cordialmente.

El apretón de manos debe ser sincero y fuerte, nunca flojo.

Retén en tu memoria los nombres de las personas que te presenten.

Cuando hables con alguien, mírale a los ojos.

Habla con seguridad y calma, sin alzar la voz.

Huye de la chismografía y no te mezcles en asuntos privados y personales.

Evita discusiones; mantente sereno, aunque te provoquen.

Cuando estés equivocado, admítelo pronto y francamente.

Sé razonable, tolerante y comprensivo.

Coopera con prontitud y entusiasmo.

Estimula siempre; alaba con generosidad; critica con tacto.

Agradece todos los favores, lo mismo pequeños que grandes.

Cuando des las gracias hazlo expresivamente, no por pura cortesía.

Sé optimista; nunca te lamentes para que no te compadezcan.

Procura no hacer esperar a nadie. Sé siempre puntual.

Haz que se respete tu palabra cumpliendo estrictamente todo lo que prometas.

Sé íntegro, correcto, sincero y leal.

Siéntete orgulloso no sólo de tu trabajo, sino de tu apariencia.

Procura superarte en tu labor y en tu conducta, hoy y siempre.

Anónimo

*L*o grande y lo difícil

*P*royecta lo difícil
   partiendo de donde aún es fácil.

Realiza lo grande
   partiendo de donde aún es pequeño.

Todo lo difícil comienza siempre fácil.
   Todo lo grande comienza siempre pequeño.

Por eso el Sabio nunca hace nada grande
   y realiza lo grande, sin embargo.

El árbol de ancho tronco
   está ya en el pequeño brote.

Un gran edificio
    se basa en una capa de tierra.

El viaje hacia lo eterno
    comienza ante tus pies.

Lao-tse

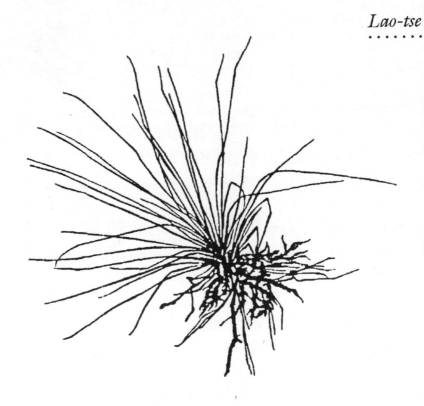

Si piensas...

Si piensas que estás vencido, lo estás;
si piensas que no te atreves, no lo harás;
si piensas que te gustaría ganar
pero que no puedes, no lo lograrás;
si piensas que perderás, ya has perdido;
porque en el mundo encontrarás que
el éxito empieza con la voluntad del hombre.

Piensa en grande y tus hechos crecerán;
piensa en pequeño y quedarás atrás;
piensa que puedes y podrás;
todo está en el estado mental.

Claude Bernard

P erfección

Cuenta tu jardín por las flores,
no por las hojas caídas.

Cuenta tus días por las horas doradas,
y olvida las penas habidas.

Cuenta tus noches por estrellas,
no por sombras.

Cuenta tu vida por sonrisas,
no por lágrimas.

Y para tu gozo en esta vida,
cuenta tu edad por amigos,
no por años.

Cielo e infierno

*E*l bien y el mal batallan por lograr primacía
en este mundo.
El Cielo no es responsable de la fortuna
o de la desgracia
que el destino nos da. No le agradezcas
ni le acuses.
Es indiferente a tus goces y a tus penas.

Me es imposible percibir el Cielo.
¡Tengo en los ojos un cendal de lágrimas!
El Paraíso es, solamente, un instante de paz.
La hoguera del Infierno es tan sólo
una chispa frente a las llamas que me devoran.

Más allá de la Tierra, más allá del
Infinito, busqué el Cielo y el Infierno.
Y una voz grave me dijo:
"El Cielo y el Infierno están en ti.

Omar Kayam

Vive tu tiempo

*D*ate tiempo para trabajar:
  es el precio del triunfo.

Date tiempo para pensar:
  es la fuente del poder.

Date tiempo para jugar:
  es el secreto de la eterna juventud.

Date tiempo para leer:
  es el fundamento de la sabiduría.

Date tiempo para ser amigo:
  es el camino de la felicidad.

Date tiempo para soñar:
es atar tu carrera a una estrella.

Date tiempo para amar y ser amado:
es el privilegio de los dioses.

Date tiempo para mirar alrededor:
el día es muy corto para ser egoísta.

Date tiempo para reír:
es la música del alma.

Caminante no hay camino sino estelas en la mar

*T*odo pasa y todo queda,
pero lo nuestro es pasar,
pasar haciendo caminos,
caminos sobre la mar...

Caminante son tus huellas,
el camino y nada más;
caminante no hay camino,
se hace camino al andar.

Al andar se hace camino
y al volver la vista atrás
se ve la senda que nunca
se ha de volver a pisar.

Antonio Machado

Un día que se va

¡Gracias, Señor, por todo lo que en este día me diste!

Gracias, por las horas de sol y los nublados tristes.

Gracias, por las horas tranquilas y por las inquietas horas oscuras.

Gracias, por la salud y la enfermedad.
Por las penas y las alegrías.

Gracias, Señor, por la sonrisa amable y la mano amiga, por el amor y todo lo hermoso y dulce.

Por las flores y las estrellas y la existencia de los niños y las almas buenas.

Gracias, por la soledad, por el trabajo, por las dificultades y lágrimas, por todo lo que me acercó a ti más íntimamente.

¡Por haberme dejado vivir... Gracias Señor!
¡Y gracias por poner en mis manos este libro!

Consolación otoñal

Cuando llegue el otoño que inicia
la ficción de este abril entusiasta,
en la tarde ya límpida y casta
que deshoja una sabia caricia,
a la postre cansados de habernos
vanamente agrandado las cosas,
cortaremos las últimas rosas
que presagien amables inviernos;
y diremos quizás: éste ha sido
el amor, ésta fue la tristeza;
un perfume, una estrella, un sonido...
Ya la vida cumplió su promesa.

De la fe que en las sombras forjamos
y del breve anhelar que vivimos,
y de toda la dicha que ansiamos
y de toda la hiel que bebimos,
¿qué divina quietud se reintegra
al dolor de este otoño que gime,
y qué grave perdón nos redime
o qué mansa virtud nos alegra?
Sólo amor en su anhelo persiste;
mas no es hoy como en antes el beso
seductor y fugaz y por eso
nos ofrece un sabor menos triste...
Y pues todo fue así, y éste ha sido
el amor y esta fue la tristeza,
¿para qué deplorar lo vivido?
Un perfume, una estrella, un sonido...
Ya la vida cumplió su promesa.

Jaime Torres Bodet

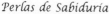

Cuando sepas hallar una sonrisa

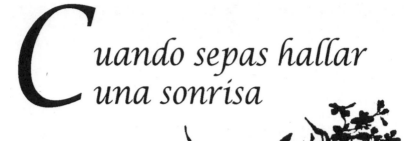

Cuando sepas hallar una sonrisa
en la gota sutil que se rezuma
de las porosas piedras, en la bruma,
en el sol, en el ave y en la brisa;
cuando nada a tus ojos quede inerte,
ni informe, ni incoloro, ni lejano,
y penetres la vida y el arcano
del silencio, las sombras y la muerte;
cuando tiendas la vista a los diversos
rumbos del cosmos, y tu esfuerzo propio
sea como un potente microscopio
que va hallando invisibles universos;
entonces, en las flamas de la hoguera
de un amor infinito y sobrehumano,

como el santo de Asís, dirás hermano
al árbol, al celaje y a la fiera.
Sentirás en la inmensa muchedumbre
de seres y de cosas tu ser mismo;
serás todo pavor con el abismo
y serás todo orgullo con la cumbre.
Sacudirá tu amor el polvo infecto
que macula el blancor de la azucena;
bendecirás las márgenes de arena
y adorarás el vuelo del insecto;
y besarás el garfio del espino
y el sedeño ropaje de las dalias...
Y quitarás piadoso tus sandalias
por no herir a las piedras del camino.

Enrique González Martínez

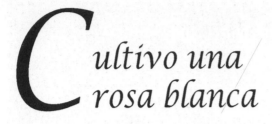

Cultivo una rosa blanca

Cultivo una rosa blanca,
en julio como en enero,
para el amigo sincero
que me da su mano franca.
Y para el cruel que me arranca
el corazón con que vivo,
cardo, ni ortiga cultivo:
cultivo una rosa blanca.

José Martí

A mis padres

No me des todo lo que pida;
a veces yo sólo pido para ver cuánto puedo obtener.

No me des siempre órdenes;
si en vez de órdenes, a veces me pidieras las cosas, yo las haría más rápido y con más gusto.

Cumple las promesas buenas o malas;
si me prometes un premio, dámelo...
pero también un castigo si me lo merezco.

No me compares con nadie; especialmente con mi hermano o mi hermana; si tú me haces lucir peor que los demás, entonces seré yo quien sufra.

No me corrijas mis faltas delante de nadie;
enséñame a mejorar cuando estemos solos.

No me grites;
te respeto menos cuando lo haces y me
enseñas a gritar también a mí, y no quiero
hacerlo.

Déjame valerme por mí mismo;
si tú haces todo por mí yo nunca aprenderé.

No digas mentiras delante de mí, ni me pidas
que las diga por ti,
aunque sea para sacarte de un apuro;
me haces sentir mal y perder la fe en lo que
dices.

Cuando yo hago algo malo, no me exijas que
te diga el por qué,
pues a veces ni yo mismo lo sé.

Cuando estés equivocado en algo, admítelo y
crecerá la opinión
que yo tengo de ti, y así me enseñarás a
admitir mis equivocaciones.

Trátame con la misma amabilidad y cordialidad con que tratas a tus amigos; ya que, aunque seamos famila, podemos ser amigos también.

No me digas que haga una cosa que tú no haces;
yo aprenderé y haré siempre lo que tú hagas, aunque no lo digas,
pero nunca lo que tú digas y no hagas.

Enséñame a conocer y amar a Dios;
pero de nada vale si yo veo que tú ni lo conoces, ni lo amas.

Cuando te cuente un problema mío, no me digas: "No tengo tiempo para boberías" o "Eso no tiene importancia"; trata de comprender y ayudarme.

Y quiéreme mucho y dímelo;
a mí me gusta oírtelo decir, aunque tú creas que no es necesario que me lo digas.

José Martí

En paz

Muy cerca de mi ocaso, yo te bendigo,
Vida, porque nunca me diste ni esperanza fallida
ni trabajos injustos ni pena inmerecida.
Porque veo al final de mi rudo camino
que yo fui el arquitecto de mi propio destino;
que si extraje las mieles o la hiel de las cosas,
fue porque en ellas puse hiel o mieles sabrosas;
cuando planté rosales, coseché siempre rosas.
...Cierto, a mis lozanías va a seguir el invierno;
¡mas tú no me dijiste que mayo fuese eterno!
Hallé sin duda largas las noches de mis penas;
mas no me prometiste tú sólo noches buenas,
y en cambio tuve algunas santamente serenas...

*L*a vida es sueño

Sueña el rey que es rey, y vive
con este engaño mandando,
disponiendo y gobernando;
y este aplauso que recibe
prestado, en el viento escribe;
y en cenizas le convierte
la Muerte ¡desdicha fuerte!
¡Que hay quien intente reinar
viendo que ha de despertar
en el sueño de la muerte!
Sueña el rico en su riqueza
que más cuidados le ofrece,
sueña el pobre que padece
su miseria y su pobreza,

sueña el que a medrar empieza,
sueña el que afana y pretende,
sueña el que agravia y ofende,
y en el mundo, en conclusión,
todos sueñan lo que son
aunque ninguno lo entiende.
Yo sueño que estoy aquí
de estas cadenas cargado,
y soñé que en otro estado
más lisonjero me vi.
¿Qué es la vida? Un frenesí.
¿Qué es la vida? Una ilusión,
una sombra, una ficción,
y el mayor bien es pequeño.
Que toda la vida es sueño,
y los sueños, sueños son.

Pedro Calderón de la Barca

Para entonces

Quiero morir cuando decline el día,
en alta mar y con la cara al cielo;
donde parezca sueño la agonía
y el alma un ave que remonta el vuelo.

No escuchar en los últimos instantes,
ya con el cielo y con el mar a solas,
más voces ni plegarias sollozantes
que el majestuoso tumbo de las olas.

Morir cuando la luz triste retira
sus áureas redes de la onda verde,
y ser como ese sol que lento expira:
algo muy luminoso que se pierde.

Morir, y joven: antes que destruya
el tiempo aleve la gentil corona:
cuando la vida dice aún: soy tuya,
aunque sepamos bien que nos traiciona.

Manuel Gutiérrez Nájera

*T*iempo

Sabia virtud de conocer el tiempo
a tiempo amar y desatarse a tiempo
como dice el refrán dar tiempo al tiempo
que de amor y dolor alivia el tiempo.

Aquel amor a quien amé a destiempo
martirizóme tanto y tanto tiempo
que no sentí jamás correr el tiempo
tan acremente, como en ese tiempo.

Amor queriendo, como en otro tiempo
ignoraba yo aún que el tiempo es
oro ¡ay! cuanto tiempo perdí ¡hay!
¡cuánto tiempo!

Y hoy que de amores ya no tengo tiempo.
Amor de aquellos tiempos
cuánto añoro la dicha inicua
de perder el tiempo.

Renato Leduc

L lénalo de amor

Siempre que haya un hueco en tu vida,
llénalo de amor.

Adolescente, joven, viejo:
siempre que haya un hueco en tu vida,
llénalo de amor.

En cuanto sepas que tienes delante de ti un
tiempo baldío
ve a buscar amor.

No pienses: "Sufriré".
No pienses: "Me engañarán".
No pienses: "Dudaré"

Ve, simplemente, diáfanamente,
regocijadamente,
en busca del amor.

¿Qué índole de amor?
No importa.

Todo amor está lleno de excelencia y de
nobleza.

Ama como puedas, ama a quien puedas, ama
todo lo que puedas...

Pero ama siempre.

No te preocupes de la finalidad del amor.

Él lleva en sí mismo su finalidad.

No te juzgues incompleto porque no
responden a tus ternuras;
el amor lleva en sí su propia plenitud.

¡Siempre que haya un hueco en tu vida,
llénalo de amor!

Amado Nervo

Ámense

Ámense el uno al otro,
mas no hagan del amor una atadura.

Estarán juntos, unidos para siempre,
cuando las alas de la muerte esparzan sus días.

Pero dejen que haya espacios
en su cercanía.
Llénense mutuamente las copas
pero no beban de una sola copa.
Compartan su pan
pero no beban de una sola copa.

Compartan su pan
pero no coman del mismo trozo.
Canten, bailen y alégrense,
pero que cada uno sea independiente;
las cuerdas del laúd están solas
aunque vibren con la misma música.

Den su corazón,
pero no en prenda,
pues sólo la mano de la vida puede contener
los corazones.
Y permanezcan juntos, pero no demasiado,
porque los pilares del templo están aparte
y ni el roble crece bajo la sombra del ciprés,
ni el ciprés bajo la del roble.

Gibran Jalil Gibran

El mundo busca hombres

El mundo anda siempre en busca de:

Hombres que no se vendan.

Hombres honrados, sanos desde el centro hasta la periferia.

Hombres íntegros hasta el fondo del corazón.

Hombres de conciencia fija e inmutable como la aguja que marca el norte.

Hombres que defiendan la razón aunque los cielos caigan y la tierra tiemble.

Hombres que digan la verdad sin temor al mundo.

Hombres que no se jacten ni huyan, que no flaqueen ni vacilen

Hombres que tengan valor sin necesidad de acicate.

Hombres que sepan lo que han de decir y que lo digan.

Hombres que conozcan su trabajo y su deber y que lo cumplan.

Hombres que no mientan, ni se escurran, ni rezonguen.

Hombres que quieran comer sólo lo que han ganado.

Hombres que no deban lo que llevan puesto.

O. Sweet

La vida es una oportunidad

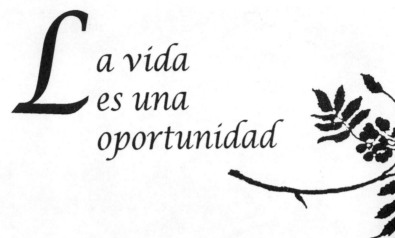

La vida es una oportunidad, aprovéchala.

La vida es belleza, admírala.

La vida es beatitud, saboréala.

La vida es sueño, hazlo realidad.

La vida es un reto, afróntalo.

La vida es un deber, cúmplelo.

La vida es un juego, juégalo.

La vida es preciosa, cuídala.

La vida es riqueza, consérvala.

La vida es amor, gózala.

La vida es un misterio, devélalo.

La vida es promesa, cúmplela.

La vida es tristeza, supérala.

La vida es un himno, cántalo.

La vida es un combate, acéptalo.

La vida es una tragedia, domínala.

La vida es aventura, arróstrala.

La vida es felicidad, merécela.

La vida es la VIDA, defiéndela.

María Teresa de Calcuta.

La mejor herencia

*P*orque la mitad de nuestros fracasos y desengaños provienen precisamente de ese afán de querer ser lo que no somos y querer aparentar lo que tampoco somos, empeñándonos en vivir fuera de la realidad.

Hay quien, por querer aparentar una riqueza que no tiene, se llena de deudas que acaban por robarle el sueño y la tranquilidad.

No hay, ni puede haber, humillación en reconocer nuestros yerros y procurar corregirlos.

No cuesta ningún trabajo ser honrado.

¡Un hombre limpio es el mejor tesoro y la mejor herencia que podemos legar a nuestros hijos!

Rosario Sansores

Cuenta lo que posees

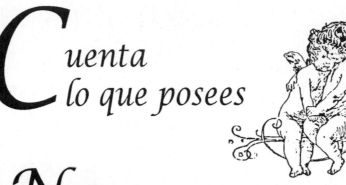

No enumeres jamás en tu imaginación lo que te hace falta.

Cuenta, por el contrario, todo lo que posees; detállalo, si es preciso, hasta la nimiedad y verás que la vida ha sido espléndida contigo.

Las cosas bellas se adueñan tan suavemente de nosotros, y nosotros con tan blandura entramos en su paraíso, que casi no advertimos su presencia. De allí que nunca les hagamos la justicia que se merecen.

La menor espina, en cambio, como araña, nos sacude la atención con un dolor y nos deja la firma de ese dolor en la cicatriz.

De allí que seamos tan parciales al contar las espinas.

Pero la vida es liberal en sumo grado; haz inventario estricto de sus dones y te convencerás.

Imaginemos, por ejemplo, que un hombre joven, inteligente, simpático a todos, tuviese una enfermedad crónica. No debería decir: "Tengo este mal o aquél, o me duele siempre esto o aquéllo, o no puedo gustar de este manjar o de aquél..."

Debería decir: "Soy joven, mi cerebro es lúcido, me aman; poseo esto, aquéllo, lo de más allá; gozo con tales y cuales espectáculos, tengo una comprensión honda y deliciosa de la naturaleza..., etcétera."

Vería entonces el enfermo aquel, que lo que le daña se diluiría como una gota de tinta en el mar.

Amado Nervo

 Si amas a Dios

Si amas a Dios,
en ninguna parte has de sentirte extranjero,
porque Él estará en todas las regiones, en lo
más dulce de todos los paisajes, en el límite
indeciso de todos los horizontes.

Si amas a Dios,
en ninguna parte estarás triste, porque, a
pesar de la diaria tragedia,
Él llena de júbilo el universo.

Si amas a Dios,
no tendrás miedo de nada ni de nadie, porque

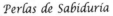

nada puedes perder y todas las fuerzas del cosmos serían impotentes para quitarte tu heredad.

Si amas a Dios,
ya tienes alta ocupación para todos los instantes, porque no habrá acto que no ejecutes en su nombre, ni el más humilde ni el más elevado.

Si amas a Dios,
ya no querrás investigar los enigmas, porque le llevas a Él, que es la clave y resolución de todos.

Si amas a Dios,
ya no podrás establecer con angustia una diferencia entre la vida y la muerte, porque en Él estás y Él permanece incólume a través de todos los cambios.

Amado Nervo

Índice

Otros títulos de la colección **Una vida mejor**

=== Serie SUPERACIÓN PERSONAL ===

- Cómo lograr lo que deseas
- Descubre al triunfador que hay en ti
- El erial. Perlas de sabiduría
- No te dejes vencer por los nervios y el estréss
- Perlas del pensamiento positivo
- Plenitud. Tesoro de superación personal
- ¿Problemas? cómo tomar buenas decisiones

=== Serie TEXTOS AUXILIARES ===

- Aprende inglés sin maestro
- Ayuda en las tareas de ciencias
- Ayuda en las tareas de español
- Inventos y descubrimientos
- No cometas más faltas de ortografía

EDICIÓN NOVIEMBRE 2003
IMPRESORA MULTIPLE
SARATOGA 909
COL. PORTALES